El secreto ae una mirada

Nivel 1

Consuelo Jiménez de Cisneros

GRUPO DIDASCALIA, S.A.

Plaza Ciudad de Salta, 3 - 28043 MADRID - (ESPAÑA)

TEL.: (34) 914.165.511 - (34) 915.106.710

FAX: (34) 914.165.411

e-mail: edelsa@edelsa.es - www.edelsa.es

El secreto de una mirada

Aprendiendo a pintar

Un caluroso y soleado día de junio, en Sevilla suenan las campanas, especialmente las de la iglesia de San Pedro. Se celebra el bautizo de uno de los más grandes pintores que ha dado España: Diego de Silva Velázquez[1] El pequeño, de grandes ojos negros y curiosos, solo es un bebé, pero ya lo mira todo con mucha atención. Los padres sonríen de felicidad.

Darse cuenta: entender, comprender.

-¡Qué niño tan bonito! -dicen los asistentes a la ceremonia. -¡Cómo mira a todas partes! Parece que **se da cuenta de** todo...

Adivinar: saber, conocer.

Ninguno de ellos puede **adivinar** que esos ojos van a ver a las personas y las cosas de una manera diferente.

Flamenco: habitante de Flandes (Holanda).

En esa época, Sevilla es la capital más poblada de España y desde allí se organiza todo el comercio y la política con el Nuevo Mundo[2]. Es una ciudad famosa por su riqueza y sus posibilidades comerciales, por eso muchos extranjeros, sobre todo **flamencos** e italianos

1 -Diego de Silva Velázquez (Sevilla, 1599-Madrid, 1660) es hijo de Juan Rodríguez de Silva, un portugués de familia judía, y Jerónima Velázquez, una sevillana.
2 -América.

han venido hasta aquí para vivir. Por el Guadalquivir pasan los barcos de vela con mercancías de todas partes y en sus calles los comerciantes buscan hacer un buen negocio.

En esa ciudad culta, rica y soleada residen, también, pintores famosos, como Francisco de Herrera, el Viejo[3], que buscan nuevas formas para reproducir la luz, nuevas técnicas para mostrar la perspectiva. Son nuevos tiempos para el arte. Estamos en los comienzos de una época que, en España, se va a llamar «Siglo de Oro»[4], y no por el oro de América, sino por la abundancia de pintores, escultores y escritores.

En este ambiente lleno de cultura crece Diego. Sus padres pronto observan que el pequeño tiene una habilidad especial para pintar y deciden contratar los servicios de Francisco de Herrera, el Viejo, un apreciado pintor que le va a dar sus primeras **nociones** de pintura. Sin embargo, Diego, aunque disfruta entre pinceles, no está contento con su maestro porque tiene muy mal carácter y es muy severo con él (solo tiene diez años). Entonces su padre le hace una propuesta.

Nociones: conocimientos.

-¿Quieres entrar como aprendiz en el taller de Francisco Pacheco[5]? Es un hombre amable, seguro que te vas a **llevar bien** con él.

Llevarse bien: tener buena relación.

---

3 -Francisco de Herrera, el Viejo (Sevilla,1590-Madrid,1656); pintor y grabador español del Siglo de Oro.

4 -El Siglo de Oro en España (s. XVI y XVII) es la época más gloriosa para las artes y las letras.

5 -Francisco Pacheco del Río (1564-1654). Pintor y tratadista de arte. Fue maestro y suegro de Velázquez.

Regañar:
mostrar enfado.

-¿No me va a **regañar** como don Francisco? -pregunta Diego.

-¡Claro que no...! Pero debes vivir en su casa y obedecerlo en todo. Él te va a enseñar a pintar... ¿Qué te parece?

Diego reflexiona. Es muy joven todavía y no quiere dejar la casa de sus padres donde se siente seguro y es feliz jugando con sus cinco hermanos. Pero sabe que, para ser un buen pintor, tiene que esforzarse mucho y firmar un «contrato de aprendizaje» con un maestro. Y ¿quién mejor que Francisco Pacheco?

Taller:
lugar de trabajo.

-Sí, padre. Voy a estudiar en el **taller** de don Francisco -decide.

Así es como Diego se instala en la casa de Pacheco que, al igual que la mayoría de las casas sevillanas, es una vivienda con grandes habitaciones que dan a un patio central donde el agua de la fuente hace un ruido agradable. Alrededor de la fuente hay **macetas** con flores. Una niña, la pequeña Juana, hija del pintor, se ocupa de **regarlas** y de **retirar** las hojas secas. También hay una jaula con un pájaro que alegra los días con su canto. Diego se siente bien en su nuevo hogar...

Macetas:
recipiente para plantas.
Regar:
echar agua a las plantas.
Retirar:
quitar.

Velázquez: un maestro pintor

Pasa el tiempo y el contrato de aprendizaje termina. Diego, que ya tiene diecisiete años, quiere obtener el título de pintor profesional y para ello debe demostrar lo que ha aprendido y examinarse en el **gremio** de pintores de su ciudad.

Gremio:
conjunto de personas de la misma profesión.

Llega el día de la prueba. Los examinadores son dos: su maestro, Francisco Pacheco, y el pintor Juan de Uceda. Los dos observan con atención el trabajo del joven quien maneja el pincel con **maestría**.

Maestría: habilidad.

-¿No os llamáis Diego de Silva? -pregunta Uceda. -¿Por qué firmáis como Velázquez?

-Es el apellido de mi madre y, como mi padre es portugués, en mi familia existe la tradición de usar el apellido materno.

Uceda mira a Pacheco y le hace un gesto. Quiere hablar con él a solas. Diego está un poco nervioso.

«¿Es que no les gusta mi pintura? ¿Por qué tanto misterio?», piensa.

De repente, la joven hija de Pacheco **se asoma** tímidamente por la puerta.

Asomarse: aparecer.

-¿Qué haces? No debes estar aquí -dice Diego.

En realidad está muy contento de verla. Juana ya no es aquella niña del patio que riega las plantas, sino una hermosa muchacha.

-Shsss... ¡Calla, que te van a oír!

Diego la mira con ternura. Pasan los minutos y los dos jóvenes oyen cómo **susurran** los maestros pintores, pero no pueden entender lo que dicen. Por fin, escuchan pasos. Juana **abandona** la sala, pero no va muy lejos.

Susurrar: hablar en voz baja.
Abandonar: dejar.

Los dos maestros vuelven para hablar con Diego. Uceda le mira fijamente y le dice:

-El trabajo nos parece tan bueno que vamos a solicitar un permiso extraordinario. Así, vais a poder trabajar como pintor no solo en Sevilla, sino en toda España.

-¡Enhorabuena! Ya sois un maestro pintor -le felicita su maestro.

Contigua:
que está al lado.

Juana, que ha oído todo desde la sala **contigua** y sabe que su padre no va a regañarla, corre hacia Diego:

-¡Diego! ¡Qué alegría!

Pacheco los contempla y ve que entre los dos jóvenes hay algo más que amistad. Sonríe satisfecho. Su alumno es tan bueno como él o quizá mejor... El joven pintor está emocionado y agradecido. Sabe que le debe mucho a su maestro y quiere agradecérselo.

Retrato:
pintura de una persona.

-Si me lo permitís, maestro, deseo haceros un **retrato** -dice Diego.

Hidalgo:
de origen noble.
Serena:
tranquila.
Pliegue:
arruga que hace la tela.

Meses más tarde, el retrato es una realidad. Pacheco aparece como un **hidalgo** español, con expresión seria y orgullosa al mismo tiempo que **serena**. Viste de negro y solo el cuello, llamado «de lechuga» por sus muchos **pliegues**, pone una nota de blanco en el cuadro. La cara, iluminada por una luz suave, es la de un hombre ya mayor y gastado, pero lleno de dignidad.

Al poco tiempo, Diego y Juana se casan. Diego es feliz y pinta sin parar en su taller junto a sus oficiales y aprendices. Recibe, poco a poco, **encargos** de cuadros. La mayoría son obras religiosas, pues la religión está muy presente en la vida social española. Abundan los conventos y las iglesias que necesitan cuadros con imágenes representativas para decorar sus **altares** y sus grandes paredes.

Así, en 1618, Diego pinta, además del retrato de su **suegro**, una obra religiosa: *San Juan en Patmos*, en la que el cuarto evangelista aparece como un joven en plena inspiración, con una **pluma** en la mano y un libro abierto. La idea para la composición es de Pacheco, pero Diego plasma en ese cuadro su personalidad: el vestido blanco del evangelista contrasta con su manto rojo; el **relieve** de las telas está perfectamente reproducido.

-¡Parece que se pueden tocar los pliegues del manto! -comenta Juana, admirando el trabajo de su marido.

Diego está contento. Puede dedicarse a lo que más le gusta, pero también está un poco cansado de representar obras religiosas. Quiere ser un poco más original. Un día recibe un encargo especial, la *Inmaculada Concepción*[6]. Entonces tiene una idea:

-Juana, tú vas a ser mi modelo para ese cuadro -le dice. -La Virgen va a tener tu cara, porque eres la mujer más hermosa y más buena que conozco...

Juana, algo avergonzada, sonríe contenta. ¡Va a ser modelo de la Virgen! Piensa en todos los que van a rezar

Encargo: algo que pide una persona a otra.

Altar: mesa donde se hace una celebración religiosa.
Suegro: padre del esposo/a.
Pluma: objeto para escribir.
Relieve: forma.

6 -Virgen.

un día delante de ese cuadro, delante de su cara. No le importa pasar mucho tiempo posando, totalmente quieta, con las manos juntas y la mirada baja.

-Inclina un poco la cabeza... Así...

Diego pinta con entusiasmo... el cielo lleno de nubes, un paisaje lejano con un templo de columnas, un árbol movido por el viento... Al joven pintor le gusta retratar lo que ve[7].

Cierto día, en la cocina, observa a una mujer mayor que está friendo huevos mientras un muchacho con un melón en las manos le ofrece un poco de agua fresca porque hace mucho calor. Diego contempla la escena fijamente. Observa todo lo que hay en la cocina: los jarros, el cuchillo sobre el tazón, el **almirez** de bronce, el **candil** en la pared... La obra *Vieja friendo huevos* acaba de ver la luz.

Almirez: vaso de metal donde se mezclan productos comestibles.
Candil: lámpara de aceite.

Los encargos religiosos siguen llegando y Velázquez, junto a sus oficiales y aprendices, pasa horas en el taller rodeado de pinceles. Ahora se trata de un cuadro en el que hay que representar la escena de *La adoración de los Magos*. Diego sonríe. No tiene que buscar modelos fuera de casa. Juana va a ser, de nuevo, la Virgen, pero esta vez tendrá en sus brazos al niño Jesús...

«Necesito un modelo para el niño Jesús», piensa el pintor. «Ya sé, mi pequeña...».

7 -El uso de personajes populares es frecuente en las pinturas de la primera época de Velázquez. En muchos casos utiliza modelos de su entorno familiar.

Francisca, que apenas tiene unos meses, es un bebé tranquilo que **posa** sin problemas. También hay un papel para su suegro, el viejo rey Gaspar; Baltasar tampoco es difícil, algún sirviente de la casa, y el joven rey Melchor será él mismo. Ya tiene todos los modelos que necesita para su encargo. Al fondo, como acostumbra, un paisaje; esta vez se trata de un atardecer **teñido** de luz amarilla, la misma luz amarilla que ilumina la tela sobre la que se levanta el niño Jesús, sostenido por las amorosas manos de su madre... Estamos en 1619. La escena está completa.

Posar: hacer de modelo.

Teñido: coloreado.

Un pintor de cámara

-¡Qué calor hace! No se puede soportar... -dice uno de los aprendices del taller.

-¿Queréis un poco de agua? -pregunta un **aguador** que pasa en ese momento por allí.

Aguador: vendedor de agua.

El viejo aguador, que va por las casas y calles con su gran **cántaro** de agua fresca, llena una copa de cristal y se la ofrece al joven. El muchacho ha puesto dentro de la copa un **higo** para perfumar y dar mejor sabor al agua.

Cántaro: recipiente de gran tamaño para guardar líquidos.
Higo: fruto de la higuera.

Diego no siente el calor. Solo siente la emoción de aquella escena **cotidiana** y decide plasmarla en un lienzo. Nadie le ha encargado un cuadro así, pero a él le impresiona lo que ha visto y se pone a trabajar. El resultado va a ser una de las obras maestras del artista[8].

Cotidiana: habitual, de todos los días.

Velázquez mezcla encargos religiosos con otros que no lo son pues, tiene que **ganarse la vida**. Poco a poco,

Ganarse la vida: trabajar por dinero.

8 -Pintado entre 1619-1622, *El aguador de Sevilla* es, posiblemente, la obra maestra de la etapa sevillana.

en sus cuadros, incluso las escenas religiosas parecen escenas de la vida doméstica en las que los personajes parecen vivos: están trabajando o hablando... Una gran naturalidad y sencillez se refleja en estas originales pinturas, tan distintas de los solemnes cuadros que se ven en las iglesias.

Transcurrir: pasar.

La vida en Sevilla **transcurre** tranquila, pero el joven pintor tiene grandes expectativas. Quiere ser un artista importante y reconocido, pero en su ciudad es difícil porque la Corte está en Madrid[9]. Cuando muere el rey Felipe III en 1622, decide ir a Madrid para presentarse al nuevo rey, Felipe IV, gran amante de las artes.

-Ahora es un buen momento para entrar en la Corte. -le dice su suegro. -Lo más importante es hacerse amigo de los amigos del Rey. Especialmente de su **valido,** el conde-duque de Olivares[10], que además es sevillano. Dicen que tiene una gran influencia sobre el Rey.

Valido: hombre de confianza del rey que tiene mucho poder.

Tras escuchar el consejo de su suegro, Diego decide viajar a Madrid. Visita las colecciones reales de arte en el palacio de El Pardo, El Escorial y Aranjuez[11]. Lleva grandes ilusiones.

9 -Como resultado de la llegada de la Corte, se levantan edificios nobiliarios, iglesias y conventos. Durante el reinado de Felipe IV, la villa vivió un excepcional período de esplendor cultural, con la presencia de genios como Cervantes, Quevedo, Góngora, Velázquez, Lope de Vega o Calderón de la Barca.

10 -El conde-duque de Olivares es valido de Felipe IV y ejerce un gran control en la Corte.

11 -El Pardo: pabellón de caza de los Reyes situado cerca de Madrid. El Escorial: monasterio, palacio, mausoleo real y centro cultural y artístico (con una importantísima biblioteca) y Aranjuez: residencia de verano de los Reyes, que destaca por sus excepcionales jardines.

Un día, cerca del palacio real, Diego ve a un hombre de aspecto **sombrío** al que todos saludan con cortesía. El hombre le mira con sus ojos oscuros y profundos y Diego siente el deseo de reproducir esa mirada.

Sombrio: triste, meláncólico.

-¿Quién es ese caballero? -pregunta Diego a su acompañante.

-Es don Luis de Góngora y Argote, poeta cordobés. Se dice que es mejor no **enfrentarse** con él, porque sus versos son más **afilados** que una espada.

Enfrentarse: pelearse.
Afilado: bien preparado para cortar.

-¿Podéis presentármelo, por favor? Quiero hacerle un retrato...

Aunque lo intenta, Diego no consigue retratar al Rey, pero, al menos, puede retratar al famoso poeta.

La experiencia en la Corte no ha sido tan buena como él esperaba y vuelve a Sevilla un poco desilusionado. Él no lo sabe, pero su viaje no ha sido **en vano**. En Madrid ha dejado una muestra de su obra: el *Retrato del poeta Luis de Góngora*.

En vano: que no sirve para nada.

-¡Qué realismo! ¡Qué fuerza tiene ese rostro! -dice el poderoso conde-duque de Olivares cuando ve la obra. -¿Quién es el artífice de tan magnífico retrato? -pregunta.

-Don Diego de Silva Velázquez, señor.

A los pocos días, Velázquez recibe un aviso. Tiene que presentarse en la Corte. La oportunidad ha llegado antes de lo que imagina. Es lo que está esperando: por fin va a poder retratar al Rey...

Corre el año 1623 cuando Diego pinta su primer retrato de Felipe IV. Todos admiran la obra y el Monarca queda tan impresionado y satisfecho que nombra al joven artista «pintor de cámara». Eso significa que Diego y su familia van a vivir en el palacio real y él va a ser el pintor oficial de la Corte. Apenas puede creerlo, pero es una realidad.

Instalado en Madrid, Diego trabaja intensamente. Realiza gran cantidad de retratos: el Rey y sus hermanos, el Conde-Duque. Los personajes retratados son seres humanos reales; los trajes, joyas e **insignias** no **ocultan** a las personas.

Juana se adapta bien a la vida madrileña. La pequeña Francisca es la alegría de la casa. Pero Diego no está satisfecho del todo. Ha oído que Italia es el centro del arte. Todos los artistas -escritores, pintores y escultores...- se dan cita allí. Él también quiere estar presente.

La experiencia italiana

Mientras pinta en Madrid, busca razones para iniciar el deseado viaje y, finalmente, las encuentra. Desea completar su formación de artista, conocer lo que hacen otros pintores... nuevas corrientes artísticas. El Rey accede a este deseo y Diego empieza a preparar el viaje. Entre sus papeles lleva cartas de recomendación y permisos para poder estudiar las obras de arte en Italia. Es una gran ocasión.

Insignia: objeto en la ropa que muestra importancia social.
Ocultar: esconder, guardar.

Pero antes de poner rumbo a tierras italianas, tiene que finalizar la obra que **tiene entre manos**. Es un cuadro muy especial. Velázquez lo llama, con ironía, *Baco entre ocho devotos* porque la escena representa a Baco, la divinidad clásica del vino, junto a ocho hombres de distintas edades. Están sentados en el campo, bebiendo y riendo y con hojas de **vid** en sus cabezas. Pronto, la gente se refiere a este cuadro como *Los borrachos*.

Tener algo entre manos: Estar en un asunto.

Vid: planta de la que se obtiene el vino.

Diego llega a Roma en 1630 y pasa un año recorriendo las ciudades más importantes y visitando los museos, palacios e iglesias de Venecia, Ferrara y Bolonia. Se siente feliz. Italia es la cuna del arte clásico, un estilo que Diego admira, sin embargo, él sigue siendo un artista revolucionario. Todos sus colegas pintan con respeto las escenas mitológicas. Él no. *La fragua de Vulcano* se convierte en el taller de un herrero cualquiera que recibe una visita mágica: es el dios Vulcano, al que no se le ve la cara. Incluso los cuadros con escenas bíblicas -como *La túnica de José*- expresan más preocupaciones técnicas de perspectiva que devoción religiosa.

Con el paso de los meses, Diego echa de menos a su familia. Quiere ver a su esposa, Juana, y especialmente a su pequeña Francisca. Quizá, por eso, su última creación en Italia es la figura de una **sibila** clásica que tiene el rostro de Juana.

Sibila: personaje femenino que adivina el futuro.

Cuando llega a Madrid, el artista observa que hay novedades en el palacio real. Ha nacido el príncipe Baltasar Carlos, heredero del trono. Diego le hace su primer retrato, vestido con los símbolos de su futuro poder:

EL SECRETO DE UNA MIRADA

Bastón:
palo que sirve
para apoyarse.
Símbolo de
poder y mando.
Enano:
persona de
poca estatura.

un **bastón** y una espada de soldado. Al lado del *princi-pito* aparece otro personaje, un **enano**, que lo acompaña en todo momento y lo entretiene. Este personaje, que lleva ropas elegantes, tiene en las manos un sonajero y una manzana.

La fama de Diego es cada vez mayor, al igual que sus encargos: decorar los palacios reales- el del Buen Retiro, el de la Torre de la Parada, cerca del palacio del Pardo... También tiene compromisos para pintar cuadros religio-sos. Algunos encargos no son fáciles y Velázquez nece-sita tiempo...

«El cuadro está casi acabado. Solo me falta la cara de Cristo. ¡Qué difícil es pintar el rostro de un crucifica-do!», piensa el artista.

Finalmente, decide pintarlo con la cabeza baja y solo la mitad de la cara; sobre la otra mitad cae el pelo largo, un poco ondulado, ocultando el rostro que expresa un sereno sufrimiento. Es el *Cristo crucificado*.

Frecuentemente llegan a la corte noticias de Flandes, donde las tropas españolas siguen peleando contra los flamencos independentistas. Los Países Bajos forman parte de la Corona española desde los tiempos del gran emperador Carlos I de España y V de Alemania. Sin embargo, con Felipe IV el imperio español empieza su **decadencia.** Poco a poco, se van perdiendo territorios, aunque, de vez en cuando, llegan noticias de alguna vic-toria, como en 1625, cuando la ciudad holandesa de Breda **se rinde** ante las tropas españolas. El vencido,

Decadencia:
debilidad.
Rendirse:
ceder ante el
enemigo.

Justino de Nassau, entrega las llaves de la ciudad al marqués de Spínola, general de las tropas españolas.

Casi diez años después, en 1634, el Rey llama a su pintor de cámara para hacerle un encargo.

-Últimamente todo son malas noticias -dice el Rey, así que quiero tener un recuerdo de la famosa victoria sobre Breda. Debéis hacer un cuadro magnífico y glorioso que recuerde siempre aquel momento.

Diego no es amigo de guerras y en su cuadro decide tratar por igual al vencedor y al vencido: **ambos** aparecen como dos educados caballeros cuando se encuentran. Solo un poco de humo indica que ha habido una batalla... Al Rey le entusiasma la obra que recibe el nombre de *La rendición de Breda*.

Ambos:
los dos.

«El cuadro muestra claramente la victoria española sobre los holandeses y cómo los españoles tratan bien a los vencidos», piensa el Rey. «Velázquez es muy original».

Al igual que otros cuadros, este también recibe un nombre popular, *Las lanzas*, debido a la cantidad de lanzas que se ven entre los soldados del ejército español y que contrastan con las escasas **picas** de los holandeses.

Pica:
lanza que usa
la infantería.

Diego Velázquez, pintor maduro, tiene casi cincuenta años y recuerda con nostalgia su viaje a Italia.

«¡Cuánto me gustaría volver!», piensa.

En 1648 el Rey le encarga la compra de estatuas antiguas romanas y griegas, cuadros originales y otras obras de arte... Ha llegado la oportunidad para volver. El primer lugar que visita es Venecia. Nunca se cansa de contemplar los tesoros artísticos de la maravillosa ciudad de los canales. Muy ocupado con las compras y los contratos que debe hacer por mandato del Rey, poco puede pintar. Por fin, en 1650, retrata uno de sus lugares preferidos: los jardines de la villa Médicis de Roma. También pinta un impresionante retrato del Papa Inocencio X, quien, cuando ve el resultado, mueve la cabeza, a la vez admirado y disgustado, y exclama:

-Troppo vero[12]*!*

En efecto, el retrato es tan realista que permite conocer, nada más verlo, el carácter firme y severo de este Papa.

Un encargo secreto

En 1651 Diego Velázquez vuelve a España. Ha terminado los encargos y las compras que el Rey le ha ordenado. Vuelve a la Corte. El taller de Velázquez no deja de recibir encargos. El trabajo es duro, pero tanto Velázquez como sus oficiales y aprendices disfrutan haciendo lo que mejor saben.

Cierto día, Velázquez recibe la visita del marqués de Heliche, sobrino del conde-duque de Olivares. El marqués es un personaje importante que tiene un capricho de aristócrata y le hará al pintor un encargo especial y secreto: guardar en su casa el retrato de una mujer desnuda.

12 -¡Demasiado verdadero!

En esta época el poder de la Iglesia en España es muy grande y los desnudos están prohibidos. Por eso, la obra tiene que exponerse en privado.

«Pintaré a una mujer con el nombre de una diosa, Venus, símbolo de la belleza», piensa el pintor.

De nuevo, el original artista sorprende a todos. La mujer del cuadro aparece de espaldas, sin rostro. Sin embargo, la cara de la diosa se puede ver reflejada en un espejo que sostiene un niño con alas, Cupido, dios del Amor. Así, el pintor retrata juntos al Amor y la Belleza, pero, mientras que el Amor mira a la Belleza, la Belleza solo se contempla a sí misma. El seductor juego de miradas llena el cuadro.

Mientras tanto, Felipe IV, que ya no es el joven Rey que aparece en los primeros cuadros, es un hombre envejecido, de aspecto **fatigado**. A su alrededor parece flotar un aire de tristeza que anuncia la decadencia del hombre y del Imperio.

Fatigado: cansado.

En efecto, las victorias españolas son cada vez menos importantes. En palacio nadie quiere ver lo que pasa. Los encargos que recibe Velázquez contienen temas clásicos y mitológicos que parecen **presagiar** lo que va a venir: así, Marte, el dios de la Guerra, no parece un héroe triunfante y orgulloso, sino un guerrero cansado que se ha quitado su armadura y sus ropas y solo conserva el casco...

Presagiar: prever algo.

En 1657, el taller recibe una nueva visita, un **montero** del Rey:

Montero: persona que busca caza en el monte.

Araña:
insecto de ocho patas.
Tejer:
hacer una tela.

Tapiz:
especie de alfombra que decora la pared.

-Deseo que me hagáis un cuadro con la historia de Aracne, esa mujer que la diosa Minerva transforma en **araña** como castigo por desafiarla en el arte de **tejer**.

Diego sonríe. Conoce bien la mitología y sus fábulas imposibles. Se coloca ante un gran lienzo en blanco y se queda pensativo. De repente le viene a la mente su visita a una fábrica de **tapices,** la Real Manufactura de Santa Isabel. Recuerda la imagen de aquellas hilanderas, jóvenes y viejas, haciendo con rapidez y precisión su trabajo.

«Ellas sí tejen con arte. Sin embargo, nadie va a retratarlas nunca... merecen ser retratadas mucho más que ese personaje de fábula, Aracne», piensa Velázquez.

Toma sus pinceles y comienza a pintar muy deprisa. Recuerda perfectamente las caras y las posturas de aquellas humildes trabajadoras. Pinta y pinta olvidando el paso de las horas. Llega la noche y solo la oscuridad le obliga a dejar su trabajo.

-Mañana terminaré mi obra -dice.

A los pocos días, el montero se presenta en su taller.

-¿Puedo ver lo que habéis hecho?

-Sí, señor. Aquí lo tenéis, debajo de esta sábana, -responde Diego.

El montero contempla la escena sin entender nada. Pero no quiere reconocerlo para no parecer estúpido.

-¿Quién de ellas es Aracne? -pregunta el montero.

-¿Acaso no lo veis? Venid. Mirad ahí.

El montero se acerca asombrado.

-¡Es cierto! Ya lo veo, ahí, en el fondo del cuadro, tras el arco. Veo el tapiz que contemplan esas damas.

-Exacto -dice Diego. Fijaos también en esa joven que va a ser castigada por la **vengativa** diosa. ¡Ella es Aracne! -explica el pintor.

> **Vengativa:** que quiere venganza.

-¡Magnífico! -exclama. -No puedo imaginar una manera más original de contar la historia.

Una vez más, el pintor consigue captar la admiración de todos aquellos que le hacen encargos o se acercan a su taller.

Personajes del palacio real

Además de pintar, Diego tiene otras nuevas responsabilidades. El Rey lo ha nombrado «aposentador», es decir, debe ocuparse de los muebles y la decoración del palacio. La responsabilidad es dura y exige hacer **inventarios**, llevar cuentas, etc. Como consecuencia, no dispone de mucho tiempo para dedicarse a sus lienzos. Sin embargo, las **enormes** salas de los palacios deben ser decoradas, sobre todo, con retratos de los personajes reales. Estos retratos no siempre son solemnes y **protocolarios**. A veces, los ilustres personajes aparecen retratados disfrutando de sus aficiones, como la **caza**, por ejemplo.

> **Inventario:** lista de propiedades.
> **Enorme:** grande.
> **Protocolario:** solemne.
> **Caza:** persecución de animales salvajes.

Jubón:
camisa hasta la cintura.
Casaca:
especie de chaqueta de uniforme.

Bufón:
payaso.

Calabaza:
fruta de gran tamaño y color naranja.

Deforme:
sin forma.
Firmeza:
fuerza.

Diego disfruta pintando escenas de caza. Retrata a Felipe IV, su hermano Fernando de Austria, su hijo, el príncipe Baltasar Carlos, etc. Todos ellos con ropas típicas: botas para caminar por los montes, pantalones recogidos a la altura de la rodilla, **jubones y casacas** para no pasar frío, etc. En estos cuadros, Diego pinta también la naturaleza: árboles, rocas, nubes en el cielo...

-¡Qué hermosos son los alrededores de Madrid! -exclama Velázquez. -¡Cuánto me gusta pasear por aquí!

En el palacio, además de los Reyes y principes, viven numerosos **enanos y bufones** que sirven de diversión y compañía a la familia real. Ellos también aparecen en muchos de los retratos del artista. Diego los pinta con amabilidad. Quiere resaltar su dignidad como seres humanos y disimula sus defectos físicos con sus mejores técnicas artísticas.

-Soy tan importante como el Rey -exclama el bufón Calabacillas, riéndose. -El mismo pintor que retrata al Rey, me retrata también a mí.

Diego sonríe. No sabe qué contestar. Lo ha retratado rodeado de unas **calabazas**, porque todos le llaman «calabacillas».

Otro día le toca posar a Sebastián de Morra, un hombre callado con muchas ideas en la cabeza. Cuando va a posar para su retrato, se pone muy derecho y apoya, con **firmeza,** sus brazos **deformes** en la cintura. Diego le dice:

-Sentaos -prefiero pintaros sentado.

Para no herir sus sentimientos, no le explica la verdadera razón: disimular sus cortas piernas.

-Don Sebastián -dice Diego para animarle, -veo que lucís un hermoso cuello y puños de un encaje tan delicado como el que usa el príncipe.

-Eso es porque estoy a su servicio -responde sin esconder su satisfacción. -Por eso tengo derecho a llevar cuello y puños de encaje flamenco.

Diego se concentra en su pintura.

«¡Qué ojos más bonitos tiene!», piensa. «Parece un caballero, como los que pasean por la Corte, satisfecho de sí mismo. Por desgracia, su cuerpo pequeño y deforme lo convierte en un ser diferente de los demás».

-Quiero que me pintéis como un gran actor -dice Pablo a Diego.

Pablo de Valladolid es un bufón que sueña con ser actor, pero cada vez que recita algún texto, todos se ríen.

-De acuerdo -responde el pintor.

Pablo se coloca con las piernas abiertas, el brazo derecho separado del cuerpo y sobre el izquierdo su elegante manto negro. Diego lo mira atentamente:

-Adelantad un poco más el pie izquierdo... Así... Muy bien. Imaginad que estáis sobre un escenario y la gente os aplaude...

Durante unos minutos, el bufón sueña que es un importante actor dramático al que todo el mundo respeta. Se siente feliz.

El regalo del Rey

Un hermoso día de primavera del año 1656, Diego Velázquez está ocupado en uno de los muchos retratos reales. Felipe IV y su esposa, Mariana de Austria, posan relajados ante su pintor favorito. Los grandes ventanales, situados a la derecha del pintor, llenan de luz la habitación. Nada rompe el silencio del taller.

De repente, se oyen unos pasos apresurados y unas voces alegres, infantiles. ¿Quién se atreve a interrumpir así el trabajo del pintor de los Reyes? Es la pequeña infanta Margarita acompañada de sus «**meninas**»: María Agustina Sarmiento e Isabel de Velasco, la enana Maribárbola, el enano Nicolasillo y el perro León, que **ladra** alegremente.

Menina:
dama de compañía.

Ladrar:
voz de los perros.

Severo:
riguroso, estricto.

-¿Qué hacéis aquí? -dice el Rey intentando parecer **severo**. -Es la hora de vuestro paseo.

-Sí, pero queremos ver el retrato que don Diego os está haciendo... Por favor, no os enfadéis.

Los Reyes se miran y sonríen. No, no pueden enfadarse con su hija querida. La princesita de cabellos rubios está preciosa con su vestido blanco adornado, como el pelo, con flores naturales que una menina acaba de coger del jardín.

-¿Podemos quedarnos un poquito a mirar? Por favor... -suplica la princesita.

Todos desean ver cómo trabaja el pintor: la infanta, las meninas, hasta el perro que se tumba en el suelo parece dispuesto a quedarse.

-Si no hacéis ruido y os portáis bien, podéis quedaros a mirar -dice el Rey.

Diego intenta seguir con el retrato, pero no puede concentrarse. Justo delante de él está Margarita **cuchicheando** con sus meninas. En un momento dado, la infanta tiene sed y pide algo de beber. María Agustina sale rápidamente y regresa con una pequeña jarra de oro llena de agua. Se la ofrece a la infanta haciendo una **reverencia**, como exige el protocolo de la Corte española.

Cuchichear: hablar en voz baja.

Reverencia: inclinación ante personas importantes.

Entretanto, Nicolasillo pone su pie sobre el perro y grita:

-¡Soy más fuerte que él!

La puerta de madera se abre con un suave **crujido**. Un familiar de Diego, José Nieto, pide permiso para entrar.

Crujido: ruido propio de la madera.

-¿Qué ocurre? ¿Alguna novedad? -pregunta el Rey.

Tras excusarse por interrumpir, José Nieto habla en voz baja con los Reyes. La infanta Margarita, mientras tanto, juega con sus meninas.

-¿Vais a hacerme un retrato a mí también, don Diego? -pregunta la infanta.

-Ya lo creo. Un retrato precioso...

Margarita da saltos y palmas de alegría.

-¡Podéis hacer ese retrato ahora mismo! -exclama la infanta.

-¿Ahora mismo? ¿Y qué dirán vuestros señores padres, los Reyes?

Margarita reflexiona un momento.

-Podéis pintarlos a ellos también en mi retrato. Nos podéis pintar a todos...

«Y por qué no», piensa Diego.

En ese momento viene a su mente uno de sus cuadros preferidos de juventud: *Marta* y *María*. Para Diego, el trabajo de María es muy importante, y por eso la sitúa en primer plano. En la pared de la estancia hay un hueco cuadrado: ¿es una ventana?, ¿es un espejo?, ¿o es un cuadro dentro de otro cuadro? No lo sabemos, pero

Diego va a jugar con la misma idea. Los auténticos protagonistas, los Reyes, aparecen **difuminados** en un espejo. La infanta Margarita, con sus meninas y enanos, es la verdadera protagonista.

Difuminado: con los colores y las líneas poco marcadas.

Ha pasado el tiempo. Hace sol en Madrid. Un hombre envejecido entra en el solitario taller del artista. Es Felipe IV. Con paso lento se acerca a un gran cuadro tapado por una tela. Lo descubre y se queda mirándolo fijamente. Sí, allí están los personajes que él ama... Pero algunos ya se han ido para siempre. Coge un pincel. Lo moja en color rojo y, sobre el pecho de su pintor favorito, dibuja la cruz de Santiago, una **distinción** que Diego siempre ha deseado, pero que no ha llegado a tiempo.

Distinción: premio, honor.

Diego de Silva Velázquez, que ha luchado toda su vida para **dignificar** el arte, para mejorar la vida y el trabajo de los artistas, se ha ido para siempre, pero no su obra.

Dignificar: hacer algo digno.

COMPRENSIÓN DE LA LECTURA

APRENDIENDO A PINTAR

1. Sevilla es una ciudad importante en la época de Velázquez porque:
-Tiene un río y todos los barcos navegan por él.
-Viven muchos extranjeros allí.
-Es una ciudad rica con muchas posibilidades comerciales.

2. ¿Por qué esa época se llama «Siglo de Oro»?
-Porque hay muchos artistas importantes.
-Porque se descubre el Nuevo Mundo.
-Porque hay mucho oro que viene de América.

3. Diego no quiere estudiar con Francisco de Herrera porque:
-Es muy pequeño. Solo tiene diez años.
-Es muy severo y no le trata bien.
-Aprender a pintar es muy duro.

4. Imagina que vas a ir a Sevilla. Busca información y di qué lugares, monumentos o atracciones visitarías.

5. En el capítulo se describe la casa de Pacheco. ¿Puedes describir tú la tuya? ¿Se parecen?

VELÁZQUEZ: UN MAESTRO PINTOR

1. Diego firma como Velázquez porque:
-No le gusta el apellido de su padre.
-Su padre es portugués y en Portugal se utiliza el apellido de la madre.
-Usa un nombre falso.

2. Velázquez retrata a su suegro como:
-Un hidalgo español al que le gusta la lechuga.
-Un hidalgo español joven y orgulloso.
-Un hidalgo español maduro y lleno de dignidad.

3. ¿Qué objetos hay en el cuadro *Vieja friendo huevos*?
-Unos jarros, unos cuchillos, un almirez y un candil.
-Unos jarros, un cuchillo y un almirez de bronce.
-Unos jarros, un cuchillo, un tazón, un almirez y un candil.

4. Escribe el nombre de los cuadros que se mencionan en el capítulo. ¿Cuál te gusta más? ¿Por qué?

5. En el texto se dice que Pacheco es un «hidalgo». ¿Conoces el nombre de otro famoso «hidalgo» de la literatura española y universal?

UN PINTOR DE CÁMARA

1. ¿Qué características tienen los personajes que pinta Velázquez?
-Son personajes que parecen naturales y reales.
-Son muy trabajadores.
-Son muy originales.